A.J.
y su extraño colegio

Bruño
LECTORUM

Para Emma.

Título original: *Mr. Klutz Is Nuts!*,
publicado por primera vez en EE UU
por Harper Trophy®, una marca registrada
de HarperCollins Publishers Inc.

Juan Ignacio Luca de Tena, 15; 28027 Madrid

www.brunolibros.es

Dirección del Proyecto Editorial: Trini Marull
Dirección Editorial: Isabel Carril
Edición: Cristina González
Traducción: Begoña Oro
Diseño de cubierta: Miguel Ángel Parreño
Diseño de interior: Equipo Bruño

ISBN: 978-84-696-2593-4
Depósito legal: M-21119-2018
Printed in Spain

PAPEL DE FIBRA
CERTIFICADO

¡El director está cada vez peor!

Texto:
Dan Gutman

Dibujos:
Jim Paillot

Bruño
LECTORUM

Índice

A.J.
Emily
RYAN

Andrea
Michael
A+

1 El director volador

—¡Cuidadooooo! —gritó alguien. El director de mi colegio iba a toda castaña por la acera... ¡montado en monopatín!

Había cogido mucha velocidad en la cuesta abajo que hay justo antes de llegar al cole. Iba de lado a lado esquivando niños y padres, totalmente descontrolado.

La mayoría de los directores de colegio son muy serios y estirados, como

si hubieran nacido siendo ya mayores, vaya. Pero nuestro director, no. Él es más bien como un niño grandote. Cuando no está montando en monopatín, va en moto, o en patines en línea.

—¡Director sueltooooooooo! —se oyó otro grito—. ¡Todos a cubiertooooo!

El monopatín debió de tropezar con un bache, porque lo siguiente que se supo del director es que volaba por los aires, tipo superhéroe.

Niños y padres se apartaban de su camino.

Hasta los perros salían pitando.

El director aterrizó en el seto que hay justo delante del colegio.

Por suerte, llevaba casco, rodilleras y coderas.

Todo el mundo se echó las manos a la cabeza.

El director estaba allí, tirado patas arriba, sin moverse. ¿Seguiría vivo?

De pronto, la enfermera del colegio pasó por delante del seto y dijo tranquilamente:

—Buenos días, director.

—Buenos días —le respondió él.

—Bonita mañana, ¿verdad?

—Preciosa, sí —dijo el director.

Entonces se puso de pie, se sacudió la ropa y entró en el colegio tan campante, como si ir a trabajar en monopatín y estrellarse contra un seto fuera lo más normal del mundo.

Creo que el director está cada vez peor...

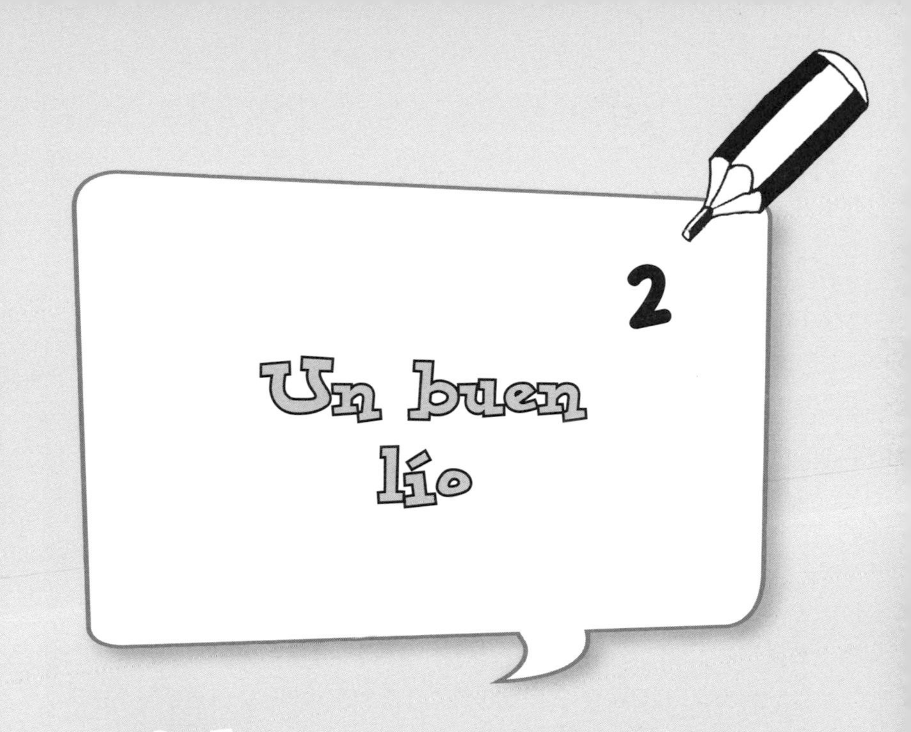

—¡Esta es la gota que colma el vaso, A.J.! —me dijo mi profesora, la señorita Lulú—. ¡Ahora mismo vas al despacho del director!

—¡Pero si no he hecho nada! —protesté yo.

Por cierto: me llamo A.J. y odio el colegio.

¿Para qué tendremos que aprender tantas bobadas? ¡Pero si cuando lle-

gas a mi curso ya sabes todo lo que necesitas! Está claro que a esto del colegio le dan mucha más importancia de la que tiene, pero como mi madre dice que todos los chicos de mi edad tenemos que ir a clase, pues hala, a aguantarse.

Eso sí: de mayor, pienso ser jugador de *hockey.* Porque para atizarle a una pelotita con un palo y meterla en una portería no hace falta saber leer, ni escribir, ni hacer problemas de *mates,* ni nada.

Y eso era justo lo que estaba haciendo cuando la señorita Lulú me mandó al despacho del director: jugar al *hockey.*

Era la hora del recreo, yo estaba con mis amigos Michael y Ryan y teníamos que lanzar una pelota de tenis contra un árbol para meter gol.

Yo pegué un golpe impresionante y la pelota aterrizó en medio de un grupito de chicas de nuestra clase.

—¡Ayayayyy! —gritó una chica que se llama Anne Porter, y empezó a frotarse una pierna como si la hubiera atropellado un tren, lo menos.

Por-fa-vorrrr, ¡si era solo una pelotita de tenis! Esa Anne es una quejica.

—¡Eh, A.J., eso cuenta como gol! —exclamó Michael, que nunca lleva las zapatillas atadas aunque se pase tooodo el rato pisándose los cordones.

—¿Y eso? —pregunté—. Si no le he dado al árbol...

—Bueno, pero sí a Anne Porter... «*Porter*-ía», ¿lo pilláis?

Cuando Ryan y yo por fin lo pillamos, pensamos que era un chiste genial.

Pero la señorita Lulú no lo encontró tan divertido. Además, ya estaba enfadada conmigo porque llevaba lo menos tres días olvidándome de traer los deberes hechos.

Entonces fue cuando dijo que esa era la gota que colmaba el vaso, y que tenía que ir al despacho del director.

3
El di-recto-r

El director es como el rey del cole. Les dice a todos lo que tienen que hacer y dónde tienen que ir, incluidos los profes. ¿A que mola? Si no soy jugador de *hockey,* de mayor me gustaría ser director para mandar así.

Mi amigo Billy, que vive en mi calle, es un año mayor que yo y va a otro

colegio, me dijo que todos los directores tienen un calabozo en el sótano, donde torturan a los que se portan mal.

No sé si Billy dice la verdad o no, pero una vez que íbamos al gimnasio, pasamos por el sótano y vimos una habitación llena de un montón de chismes terroríficos. Michael dijo que hasta había visto unas cadenas colgando del techo y una silla con correas para sujetar los brazos y las piernas.

A lo mejor ahí es donde el director tortura a los que se portan mal.

Total, que ahora que me habían mandado a su despacho, la verdad es que tenía miedo.

De camino, paré en el baño de los chicos. «¿Y si excavo un túnel y me escapo por él?», pensé.

Mi amigo Billy me contó que había visto hacer eso a unos prisioneros en una peli de guerra. Por lo visto, excavaban un túnel con una cuchara. Pero yo no tenía ninguna cuchara y, además, no tocaría el suelo del baño por nada del mundo. ¡Puaj!

Cuando llegué al despacho del director, su secretaria me hizo esperar fuera lo menos un millón de horas. La puerta del despacho estuvo cerrada todo ese rato, y yo me pregunté si el director estaría torturando a alguien allí dentro. Pero no se oían gritos ni nada.

Al final, la secretaria me dijo que ya podía pasar, y cuando abrí la puerta, me quedé alucinado... ¡El director estaba colgando boca abajo de una barra que había en el techo! Llevaba unas botas que se enganchaban a la barra.

—¿Qué… haces? —le pregunté.

—Nada, solo estoy colgado —contestó él mientras se quitaba las botas y bajaba al suelo de un salto—. Así, la sangre me llega mejor a la cabeza, y eso me ayuda a pensar.

Bueno, por lo menos ya sé que colgarte boca abajo no ayuda a que te crezca el pelo, porque el director no tiene ni uno. Pero ni uno, ¿eh? Es calvo como un huevo.

Su despacho se parecía bastante a la oficina de mi padre, solo que en el del director había un póster de *snowboard* colgado en la pared y un futbolín en una esquina. Ah, y también tenía un saco de boxeo con una cara pintada.

Cuando me dijo que me sentase, yo me quedé mirando al suelo, para darle pena.

Si te metes en un lío, tú mira al suelo, porque si les das pena a los mayores, te pondrán un castigo menos gordo.

—Tu profesora ya me ha explicado por qué te ha mandado aquí —dijo el director—, pero me gustaría oír tu versión de la historia.

—Creo que la señorita Lulú piensa que me he dejado un grifo abierto… o algo así —le contesté yo.

—¿Y por qué crees eso, A.J.?

—Bueno, porque estaba enfadadísima y me ha dicho: «¡Esta es la gota que colma el vaso!». Luego me ha mandado venir a tu despacho. Pero te prometo que yo no he llenado ningún vaso... ¡ni sé de qué gota me habla!

—Ya veo —dijo el director, acariciándose la barbilla—. Y yo que creía que esto tenía que ver con un partido de *hockey* que ha acabado fatal... Y luego está ese otro asuntillo de no traer los deberes hechos...

—Ah, sí. Eso también.

El director no parecía estar a punto de torturarme. La verdad es que ni se le veía enfadado conmigo ni nada.

—No te lo vas a creer —me dijo—, pero una vez yo también fui niño.

—¿Solo una vez? —me extrañé—. ¡Yo soy un niño todo el tiempo!

—Me refiero a que yo también tuve tu edad.

—Ya, pero seguro que tú eras súper bueno en el cole.

—¡Uf, qué va! —se rio el director—. De hecho, era justo al revés. El colegio no me gustaba nada de nada, y no era muy buen alumno que digamos.

—¿De verdad?

Yo pensaba que, a todos los que llegan a ser directores de mayores, de pequeños tenía que encantarles el colegio. Si no, ¿por qué querrían trabajar en uno tooooodo el día?

—Cuando yo era niño, no podía estarme quieto —siguió el director—. Solo quería correr todo el rato de un lado para otro, y nunca me apetecía hacer los deberes. No estaba motivado. ¿Sabes lo que es estar motivado, A.J.?

—Es como tener un motor dentro que hace que quieras hacer las cosas. Por eso *motivado* empieza por «mot», como *motor*.

—Más o menos —dijo el director—. A veces, mi madre me daba una pequeña recompensa si hacía bien los deberes. Una chocolatina, por ejemplo. Ya ves: Las clases no me gustaban mucho, ¡pero los dulces sí! Por eso me esforzaba por hacer las cosas bien en el colegio, para conseguir dulces. ¿Lo entiendes?

—Sí, claro.

—A.J., si te diera un dulce, ¿crees que eso te ayudaría a acordarte de traer los deberes cada día?

—Mis padres me dicen que no debo aceptar dulces de desconocidos, porque pueden tener intenciones retorcidas —le dije.

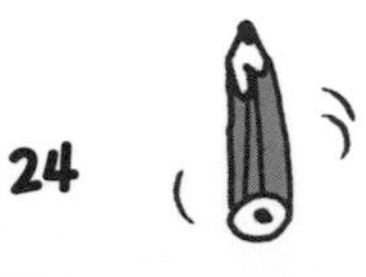

—Pero yo no soy un desconocido, soy amigo tuyo, y mis intenciones no son nada retorcidas. ¡Son muy rectas! —replicó el director—. ¿No te has dado cuenta de que los directores somos muy rectos? Si hasta lo dice la propia palabra: «di-*recto*-r». ¿Lo pillas?

—Lo pillo. Y bueno, si insistes… Supongo que sí podría aceptar un dulce.

El director abrió un cajón de su mesa y sacó una chocolatina. Era una de esas con caramelo por dentro. Se me hizo la boca agua.

—A partir de ahora, ten más cuidado cuando juegues al *hockey*. Y a ver si mañana te acuerdas de traer los deberes —me dijo mientras me daba la chocolatina—. Ah, y no le cuentes esto a nadie, ¿vale? Es un secreto entre tú y yo.

—¡Vale!

Entonces salí pitando del despacho, por si acaso después de lo de darme la chocolatina venía lo de atarme a una silla y torturarme.

4

El regalo

Cuando volví a clase, todos me miraron. Estaba claro que querían saber si había llorado, o si me salía sangre, o algo.

—¿El director te ha torturado? —me cuchicheó Ryan en cuanto me senté en mi sitio.

Ryan se sienta a mi lado, en la tercera fila.

—Nop —contesté yo—. Me ha hecho un regalo.

—¿Un regalo? ¿Y qué es?

—No te lo puedo decir.

—¡Venga, va!

—Le he prometido que no se lo contaría a nadie.

—Pero yo soy tu mejor amigo.

—Bueeeeeno, vaaaaale. Luego te lo enseño.

En el comedor (también conocido como el *vomitorio)* me senté con Ryan, mi nuevo mejor amigo, y también con Michael, con la sabelotodo de Andrea y con la llorica pelirroja de Emily.

No veas qué caras pusieron cuando les enseñé la chocolatina... ¡Casi se les salen los ojos!

—¿De dónde la has sacado? —me preguntó Michael—. ¡Pero si tu madre

siempre te pone barritas de zanahoria de postre!

—Me la ha dado el director —les conté—. Tiene un cajón lleno.

—¿Y por qué te la ha dado? —me preguntó Emily. Se notaba que estaba muerta de envidia.

—Por no traer los deberes.

—¡Espera, espera...! —exclamó Andrea, hecha una furia—. O sea, que te mandan al despacho del director por portarte mal y, en vez de castigarte, ¿te dan una chocolatina? ¡No es justo! ¡Yo SIEMPRE traigo los deberes hechos y NUNCA me han dado una chocolatina!

—A lo mejor tendrías que intentar no ser siempre tan perfecta —le dije—. Ah, y si quieres, puedes quedarte con mis barritas de zanahoria. Te las regalo.

Me encanta hacer rabiar a Andrea.

Sieeeeeeeempre se cree que lo sabe todo.

Cuando nos mandan deberes, ella va y hace un trabajo extra solo para demostrar lo lista que es y para hacernos quedar mal a los demás.

—El director me ha dicho que es mi amigo —presumí mientras le daba un buen mordisco a mi chocolatina justo delante de las narices de Andrea—. Y también que puedo volver a su despacho por otra chocolatina cuando quiera.

Lo último no era verdad del todo, ¡pero molaba tanto decirlo…!

—El director debería repartir chocolatinas a los alumnos que traen los deberes hechos…, ¡no a los que no los traen! —protestó Andrea.

—¡Eso! —refunfuñó Emily, que parecía a punto de echarse a llorar, como siempre.

—¡Pues yo también pienso ir al despacho del director! —exclamó Ryan, mi nuevo mejor amigo.

—¡Y yo! —dijo Michael—. ¡Quiero una chocolatina!

Todos me miraron mientras me la acababa, me chupaba el chocolate

que se me había quedado pegado en los dedos y me frotaba la barriga.

Tenía que asegurarme de que todos se habían enterado bien de lo rica que estaba.

5
Por bocazas

Resulta que yo sé perfectamente qué hay que hacer para que te manden al despacho del director: Poner una chincheta en la silla de tu profe. Así de fácil.

Mi amigo Billy me contó que una vez hizo eso y fue allí derechito.

Esperé a que Andrea y Emily se fueran a jugar con las otras chicas a la hora del recreo, y entonces le conté

el plan a mi nuevo mejor amigo Ryan, y también a Michael.

—¡Eres un genio, tío! —exclamó Ryan.

—Pero… ¿y si la señorita Lulú se hace daño? —preguntó Michael. Parecía preocupado.

—¡Qué va! —le tranquilicé—. Pegará un bote tan rápido que ni notará el pinchazo… casi.

Un poco antes de que acabase el recreo, nos colamos de puntillas en clase. La señorita Lulú aún estaba comiendo en la sala de profesores, así que allí no había nadie.

Ryan quitó una chincheta del corcho de clase, la puso en la silla de la profe y salimos corriendo al patio justo cuando sonaba el timbre.

De vuelta a clase, Ryan, Michael y yo no podíamos ni mirarnos por miedo a que nos diera un ataque de risa.

Yo me moría de ganas de ver la cara de la señorita Lulú cuando se sentara en su silla.

Pero cuando se sentó, pasó lo más increíble…

¡Nada de nada! Se sentó y ya está. No pegó un bote, ni siquiera dio un gritito.

Ryan, Michael y yo nos miramos. ¿Cómo podía ser que no notase la chincheta?

—¡Debe de tener el trasero de acero puro! —susurró Ryan.

—¡Es como Superwoman! —cuchicheó Michael.

Entonces me di cuenta de que había olvidado decirle a Ryan algo muy importante: Cuando pones una chincheta en la silla de un profesor, se supone que debes colocarla más bien a un lado, porque si la pones justo en medio, la chincheta no queda... bueno... justo donde tiene que clavarse, ya sabes.

La señorita Lulú se levantó, y cuando se dio la vuelta para escribir un problema de matemáticas en la pizarra, todos vimos la chincheta clavada... en mitad de su trasero.

Ryan, Michael y yo creímos que nos iba a dar algo de tanto aguantarnos la risa.

Fijo que aquello era lo más divertido que había pasado en toooooda la historia del colegio. ¡Tendrías que haberlo visto!

Entonces Andrea levantó la mano y dijo:

—Perdona, señorita, pero me parece que llevas algo pegado… por detrás.

La muy plasta, siempre estropeando la diversión.

La profe se miró el trasero y se quitó la chincheta.

—¿Quién ha sido? —preguntó.

—¡Yo! —confesó Ryan con una sonrisa de oreja a oreja.

—¡Al despacho del director, Ryan!

—¡Bien! —susurró él, levantando el puño—. ¡Dentro de un ratito volveré con una chocolatina!

Cuando Ryan salió, la señorita Lulú dijo:

—Muy bien. Espero que nadie más quiera acabar hoy en el despacho del director.

—¡Yo sí, yo sí! —saltó Michael.

—Y yo ¿puedo volver? —pregunté.

—¡Eh, que me lo he pedido yo primero! —se quejó Michael.

—Callaos, los dos —dijo la señorita Lulú.

Entonces intentó hacer como si no hubiera pasado nada y siguió dando clase, pero cuando volvió a sentarse vi cómo antes miraba la silla de reojo.

Un rato después, Ryan volvió. Y con él vino el director.

—¿Qué? ¿Te ha dado una chocolatina? —le pregunté en voz baja a Ryan en cuanto se sentó.

—No —me respondió él, también en voz baja—. Cuando le dije que pensaba que me iba a dar una chocolatina como la que te dio a ti, se enfadó un montón. Me dijo que iba a llamar a mis padres para contarles lo que había hecho. ¡Creo que nos hemos metido en un buen lío, A.J.!

¡Upsss! A lo mejor no era buena idea seguir siendo el mejor amigo de Ryan.

Tenía que haber cerrado la bocaza y no contarle a nadie lo de la chocolatina.

6 La fiesta del chocolate

La verdad es que lo de poner una chincheta en la silla de la profe había sido una tontería.

El director nos miró. Yo estaba seguro de que iba a llevarnos a todos al calabozo del sótano para torturarnos. Aunque, si te fijabas bien, tampoco se le veía tan enfadado por lo que habíamos hecho.

—Me he dado cuenta de que algunos alumnos de este colegio necesi-

tan un incentivo extra para portarse bien y esforzarse —dijo—. ¿Sabéis lo que es un incentivo?

—Es una recompensa que anima a alguien a trabajar más para conseguir algo —explicó Andrea, toda orgullosa.

¡Uf!, mira que me cae mal esa chica... Sieeeeempre se cree que lo sabe todo.

—Muy bien, Andrea —dijo el director—. ¿Y qué tipo de incentivo creéis que podría funcionar con vosotros?

—¡Darnos un millón de chocolatinas a cada uno! —saltó Michael.

—¡Hacer que las vacaciones de verano duren el año entero! —salté yo.

—¡Prohibir los deberes para siempre jamás! —saltó Ryan.

—El director no puede hacer esas cosas —replicó la señorita Lulú—.

»Pero ¿os acordáis de cuando leísteis entre todos un millón de páginas y, como recompensa, convertimos el gimnasio en un salón de videojuegos gigante? Aquello fue todo un éxito. ¡Hasta el director se disfrazó de gorila esa noche!*

* Si quieres conocer esta historia, léete *¡La señorita Lulú no sabe ni la u!*, el n.° 1 de la colección.

—¿Y si hiciésemos una fiesta del chocolate? —se le ocurrió a Andrea.

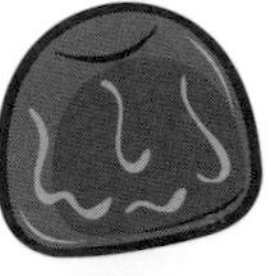

—¡Sííííí! —gritamos todos.

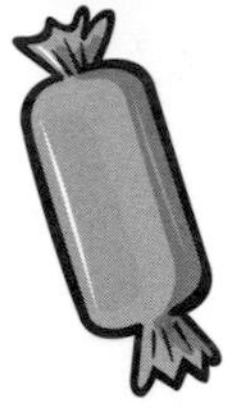

—Ñam-ñam... —se relamió la señorita Lulú—. ¡Me gusta esa idea!

Estábamos emocionados. Si hay algo que le gusta a todo el mundo, es el chocolate.

Entonces empezamos a decir cosas que podía haber en la fiesta: bombones de chocolate, caramelos de chocolate, bizcochos de chocolate, magdalenas de chocolate, galletas de chocolate, conejos de chocolate...

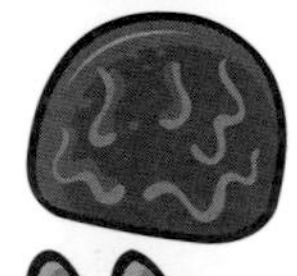

—Eh, eh, esperad un momento... —nos interrumpió el

director—. ¿Y qué pensáis hacer para ganaros esa fiesta del chocolate?

—Podríamos leer otro millón de páginas —dijo Ryan.

—Pero eso ya lo hemos hecho —replicó Emily.

—¿Y si resolviéramos un millón de problemas de matemáticas? —propuso… ya te imaginas quién.

—¡Qué idea más estupenda! —exclamó la señorita Lulú, encantada de la vida. Desde que en clase le habíamos enseñado a sumar, a restar, a multiplicar y a dividir, ¡las *mates* le encantaban!

—Un millón es una burrada. ¿Y si lo dejamos en cien? —propuso Ryan.

—Un millón —insistió el director—. Es mi última oferta. La tomáis o la dejáis.

—¡La tomamos! —gritamos todos a la vez.

—De acuerdo —dijo él—. Si entre todos los alumnos del colegio lográis resolver un millón de problemas de matemáticas de aquí a final de mes, prometo hacer una fiesta con tanto chocolate que os pasaréis semanas con dolor de barriga.

—¡Yo traeré trufas! —exclamó la señorita Lulú.

—¡Bieeeeeeeen! —gritamos todos menos Ryan, que parecía bastante mosqueado.

—Pues yo no pienso pasarme el tiempo libre haciendo problemas, que lo sepáis —dijo—. ¡Odio las *mates!* Antes que ponerme a hacer problemas fuera de clase… ¡le planto un beso en la boca a un cerdo!

—Muy bien, pues como incentivo añadido, la noche de la fiesta seré yo quien bese a un cerdo en la boca —dijo el director—. ¡Que tengáis un buen día!

¡Qué director más guay tenemos!, ¿a que sí?

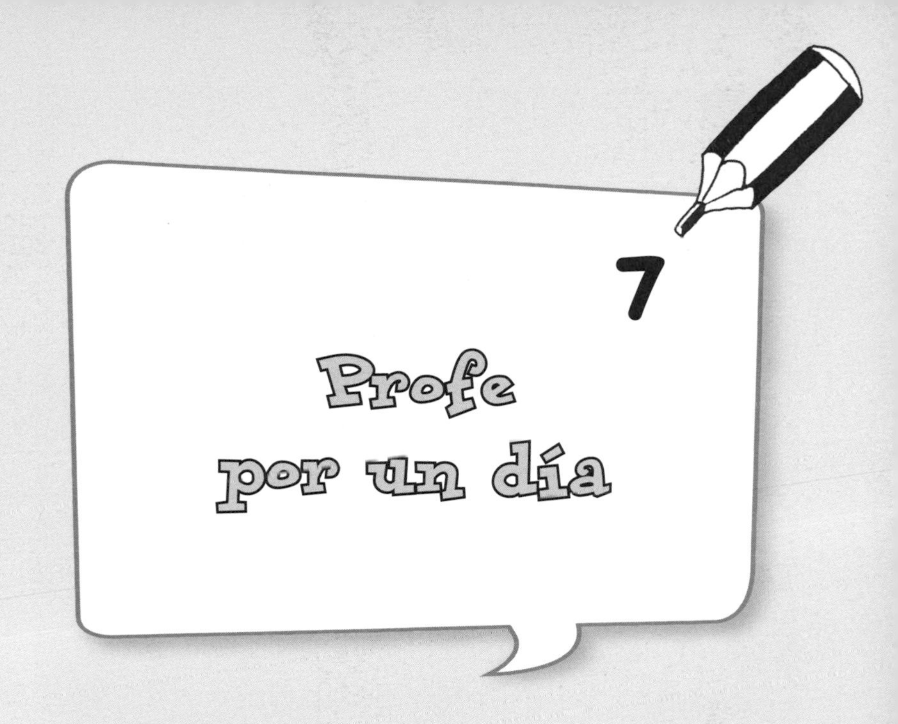

La noticia sobre la fiesta del chocolate corrió como un rayo por todo el colegio. Hasta los que eran alérgicos al chocolate querían ir para ver al director besar a un cerdo en la boca.

—¿Y de dónde va a sacar un cerdo? —preguntó Michael al día siguiente, a la hora de comer.

—Podría conseguirlo en la casa de A.J. —saltó Andrea.

—¡Uf, Andrea! Eso ha sido tan gracioso que me he olvidado de reírme —le contesté.

—Pues yo creo que el director solo quiere liarnos para que hagamos un montón de problemas de *mates,* y punto —protestó Ryan—. Lo del chocolate es una excusa.

—¿Y qué más da? —preguntó Michael—. Mientras consigamos que se haga la fiesta…

—Pues yo pienso que solo deberían dejar entrar en ella a los que hayan hecho problemas de matemáticas —dijo Andrea.

—Oye, tú no eres más plasta porque no te entrenas, ¿verdad? —le pregunté.

Pero el caso es que, a partir de ese momento, todos los alumnos del colegio nos pusimos a hacer problemas como locos. ¡Hasta Ryan! Era como si, en vez de chocolate, el

director nos hubiese prometido oro y diamantes.

—Ayer por la noche me pasé veinte minutos haciendo problemas de *mates* —presumió Ryan al día siguiente después de comer, mientras esperábamos a que la señorita Lulú llegara a clase.

—¡Bah!, yo estuve cuarenta, y eso es el doble de veinte... —dijo Michael—. ¡Ja! ¿Lo veis? ¡Acabo de resolver otro problema!

—Pues yo estuve haciendo problemas una hora entera... —dije yo—. Cincuenta minutos sin parar.

—Una hora tiene sesenta minutos, cabeza hueca —me soltó Andrea.

En ese momento, el director entró en clase. Nos dijo que la señorita Lulú tenía cita con el dentista, y que alguien la iba a sustituir aquella tarde.

¿Y sabes quién era ese alguien? ¡Pues el mismo director!

Nos quedamos alucinados.

—¡Si tú no eres profe! —le dije yo.

—Pero lo he sido —replicó él—. Antes de ser director, di clase muchos años.

—¿Y de qué dabas clase? —preguntó Ryan.

—De física —respondió él.

—¿Y eso qué es? —pregunté yo.

—¿Es como la educación física? —se le ocurrió a Michael.

—Tú sabes que nosotros todavía somos pequeños para estudiar física, ¿verdad? —le dijo Andrea al director—. Porque esa asignatura no se da hasta Secundaria…

—¡Tonterías! —exclamó él—. Nunca se es demasiado joven para aprender

algo nuevo. A lo mejor descubres que eres más lista de lo que crees, Andrea.

—Si tú lo dices…

—La física estudia el movimiento, la energía y la fuerza —explicó el director—. Por ejemplo, si cojo en una mano el borrador de la pizarra y en la otra un libro y los dejo caer a la vez, ¿cuál llegará antes al suelo?

—¡El borrador! —contesté rápidamente yo—. Como es más pequeño y pesa menos, caerá más rápido. Igual que la gente pequeña corre más deprisa que la grandota.

—¡No! ¡Llegará antes el libro! —exclamó Ryan—. Las cosas grandotas cogen más velocidad que las pequeñas al caer.

—Pues yo creo que llegarán los dos a la vez —saltó la listilla de Andrea.

—Vamos a comprobarlo —dijo el director.

Cogió el borrador con la mano izquierda y un libro con la derecha, se subió a la mesa de la profe, levantó las dos cosas... y las dejó caer.

El cepillo y el libro tocaron el suelo exactamente al mismo tiempo.

—¡Os lo dije! —exclamó Andrea.

La muy repipi me cae cada vez peor.

—Según las leyes de la física, todos los objetos caen justo a la misma velocidad —nos explicó el director—. ¿Lo veis? ¡Acabáis de aprender física sin estar en Secundaria!

—Espera un momento... —dijo Michael—. ¡Esa prueba no vale! El borrador y el libro son casi igual de grandes y pesan más o menos lo mismo.

—Es verdad —reconoció Ryan—. Inténtalo con otras cosas.

—Vale —dijo el director, y cogió un lápiz de la mesa de la señorita Lulú. Luego se acercó a la ventana, donde la profe tiene colocada su colección de animales de peluche, y cogió una jirafa casi tan grande como yo.

—¿Esta os parecería una buena prueba? —preguntó.

—¡Síííííí! —contestamos todos.

—Y ahora, ¿qué creéis que llegará antes al suelo? —dijo volviendo a subirse a la mesa de la señorita Lulú.

—¡El lápiz!

—¡La jirafa!

—Pues yo creo que llegarán los dos a la vez —repitió Andrea.

—Bien, vamos a comprobarlo —dijo el director.

Justo cuando levantó las dos manos, pisó sin querer un rotulador que había en la mesa de la profe. El rotulador empezó a rodar, el director patinó sobre él y…

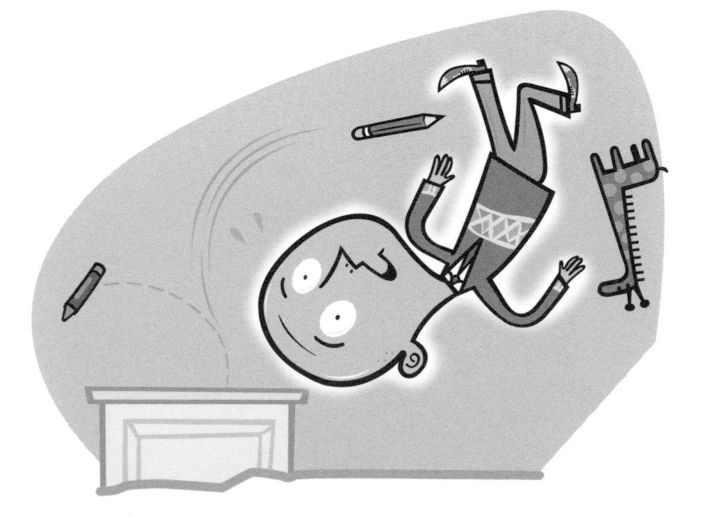

—¡Cuidadooooo! —gritamos todos.

¡CATACROCCCCC!

El lápiz, la jirafa y el director habían salido volando, cada uno en una dirección.

Tendrías que haberlo visto. Fue alucinante.

Todos nos acercamos corriendo a ver si el director estaba bien.

Se sujetaba una rodilla y gemía bastante.

—¿Lo veis? ¡Os lo dije! —exclamó Andrea—. Las TRES cosas han llegado al suelo a la vez: el lápiz, la jirafa y el director. ¡Yo tenía razón!

No es que esa chica me caiga mal. Es que me cae fatal.

8

El beso del director

Cuando el director volvió del hospital, nos tranquilizamos al saber que no se había roto ningún hueso. Aun así, cojeaba un poco, y nos dijo que tendría que ir con bastón una semana entera.

Al principio nos preocupó que anulase la fiesta del chocolate, pero fue justo al contrario. ¡Estaba más emocionado que nunca!

Así que todos seguimos haciendo problemas de *mates* como locos, hasta los profesores.

En la hora de lectura, la bibliotecaria nos preguntaba cosas como: «Si en una estantería hay cien libros y ya te has leído cincuenta, ¿cuántos te quedan por leer?».

En clase de música, el profesor nos preguntaba cosas como: «Si en el colegio solo hay diez trompetas y

seis alumnos se apuntan a trompeta, ¿cuántos pueden apuntarse todavía a esa clase?».

La señorita Lulú hizo una tabla para ir llevando la cuenta de los problemas que íbamos haciendo. Cada día apuntaba los que habíamos resuelto, y a final de mes... ¡llegamos al millón!

Por supuesto, la que resolvió el problema un millón fue Andrea. (Pero qué fatal me cae, oye).

Tenías que haber visto el gimnasio la noche de la fiesta del chocolate... Había música, juegos, y meeeeesas y meeeeesas con galletas de chocolate, tarta de chocolate, magdalenas de chocolate... ¡y hasta brócoli bañado en chocolate! (¡puaj!).

Un rato después, yo ya estaba a punto de vomitar de tanto comer chocolate.

Al final de la fiesta, alguien trajo un cerdo atado con una correa. Supongo que lo habían sacado de un zoo, o de una granja, o algo así.

Lo llevaron hasta el director, que arrugó la nariz y puso cara de asco.

Cuando se agachó y besó al cerdo en la boca, todo el mundo se volvió loco, incluido el cerdo, que empezó a gruñir y a correr por todo el gimnasio hasta que, por fin, los mayores consiguieron atraparlo.

Fue la mejor noche de mi vida.

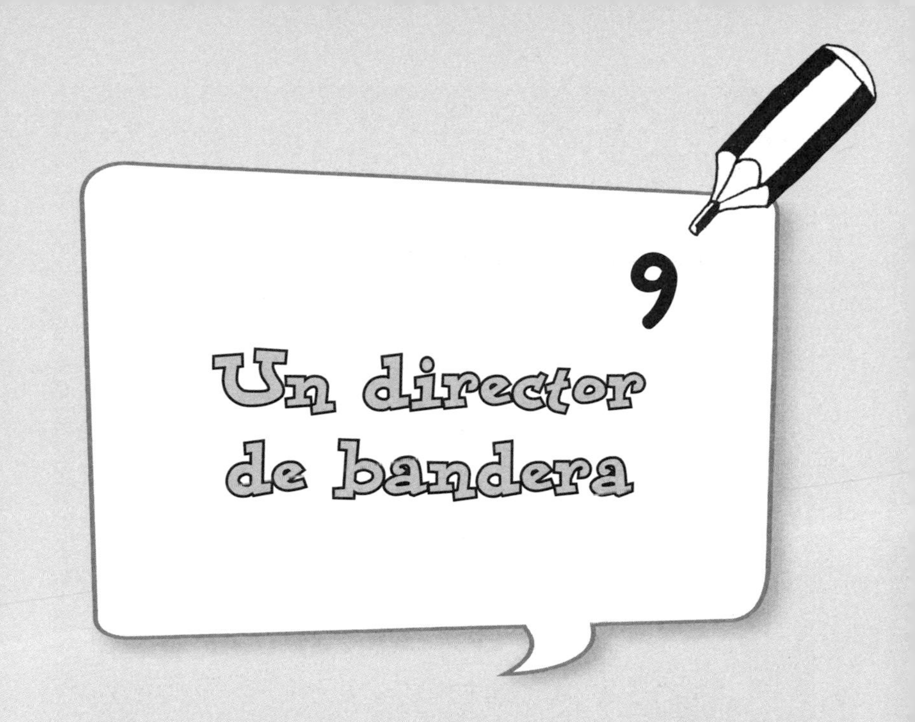

9 Un director de bandera

Al día siguiente, el director nos habló por los altavoces del colegio:

—Quiero felicitaros a todos. ¡Lo conseguisteis! ¡Habéis resuelto un millón de problemas, todo un récord! ¿Veis como lo único que necesitabais era un pequeño incentivo? Ante este éxito, he decidido plantearos otro reto... —siguió diciendo el director—: Como dentro de muy poco va

a haber elecciones en nuestro país, cada alumno escribirá una redacción sobre lo que significa ese acontecimiento. Y si lográis tenerlas todas listas para el día anterior a las elecciones... ¡me subiré al palo de la bandera del colegio y contaré hasta cien desde allí arriba!

—Espero que no vuelva a hacerse daño... —lloriqueó Emily.

—Yo escribiré mi redacción a la hora del recreo —decidió Andrea.

Ella sieeeeempre hace corriendo lo que dicen los mayores en vez de esperar hasta el último momento, como hacemos todos los demás.

—¿Y no podemos escribir una redacción por clase? —preguntó Michael—. Sería mucho más fácil.

Entonces se oyó decir al director por los altavoces:

—Me imagino que algunos os estaréis preguntando si podéis escribir una redacción por clase. La respuesta es «NO». Si queréis que me suba al palo de la bandera del colegio, cada alumno deberá escribir su propia redacción. Esa es mi oferta final. La tomáis o la dejáis. ¡Que tengáis un buen día!

La verdad es que la idea de que el director se subiera al palo de la bandera molaba, así que todos escribi-

mos sin rechistar nuestra redacción (algunos, como Andrea, incluso escribieron dos). Una semana antes del plazo, ya las teníamos todas.

La mañana antes del día de las elecciones, todos los profesores y los alumnos nos juntamos en el jardín que hay delante del colegio.

El director salió por la puerta principal. Llevaba zapatillas y uno de esos chismes con correas que se ponen los leñadores para subirse a los árboles.

Tenía la pierna mejor y ya no usaba bastón.

En cuanto empezó a trepar por el palo de la bandera, nos pusimos a corear su nombre.

Yo tenía miedo de que se cayera y se rompiese la crisma o algo, pero no

pasó nada de eso. Para ser un director, era un buen escalador.

Al llegar arriba del todo, contó hasta cien y todo el mundo le aplaudió.

Pero cuando empezó a bajar, un pie se le enredó con la cuerda de la que colgaba la bandera, y al intentar desenredarse, se le resbalaron las manos... y se soltó de la cuerda.

Lo siguiente que vimos fue al director colgando del palo de la bandera, boca abajo y sin manos.

Todos nos quedamos sin respiración.

Ver al director patas arriba habría sido para partirse de risa, si no fuese porque a todos nos preocupaba que se cayera de cabeza al suelo de un momento a otro.

—¡Ay, ay…! ¡Me he quedado enganchado! —chilló—. ¡Socorrooooo!

De pronto, todo el mundo empezó a correr como loco de acá para allá, aunque nadie sabía qué hacer. A ese paso, el director tendría que quedarse varios días allí colgado.

—¡Rápido! ¡Traed unas colchonetas del gimnasio para que por lo menos aterrice en blando! —gritó la bibliotecaria.

—¡Y llamad a los bomberos! —gritó la enfermera del colegio.

—Ya veréis cómo se le ocurre una forma de bajar de ahí —les dije muy convencido a mis compañeros de clase—. Cuando la sangre le llega a la cabeza, el director piensa mejor.

Pero quien tuvo una idea genial de verdad fue la señorita Lulú. Corrió hacia el palo de la bandera, desató la cuerda por abajo, sujetó los dos extremos y, poquito a poco y con mucho cuidado, fue bajando al director.

—¡Hurra por la señorita Lulú! —gritamos todos los de mi clase.

Cuando el director por fin llegó al suelo, entre varios profesores le desengancharon el pie de la cuerda. Entonces él se levantó, se sacudió la ropa y entró tan pancho en el cole-

gio, como si haberse pasado un buen rato colgando boca abajo del palo de la bandera fuese de lo más normal.

Creo que el director está cada vez peor…

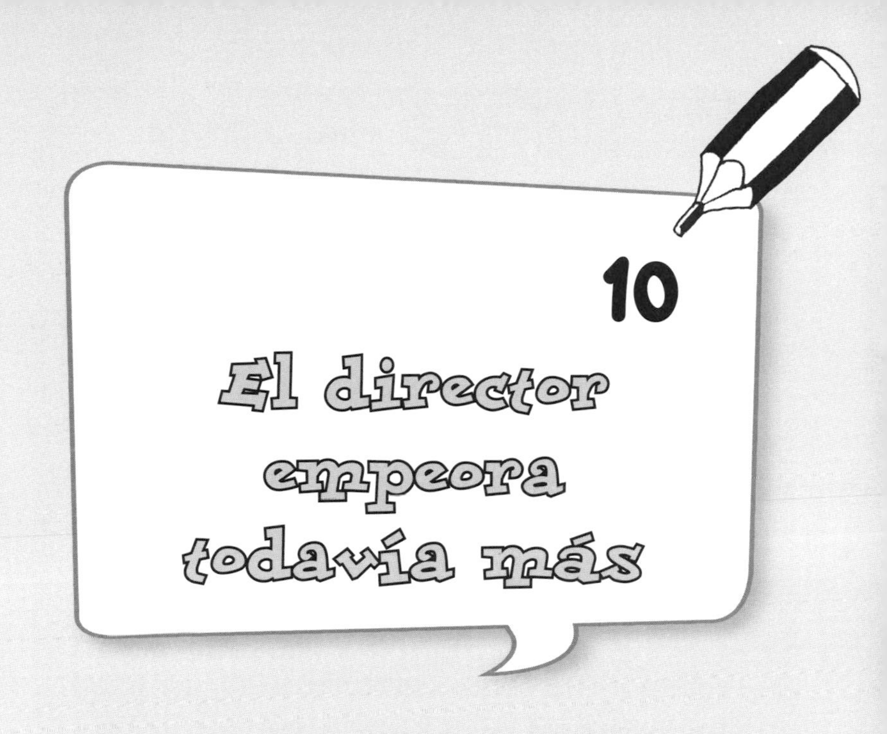

A la mañana siguiente, el director vino a clase y nos dijo:

—Todas vuestras redacciones sobre las elecciones eran buenísimas.

Llevaba una venda en la cabeza. Fijo que había vuelto a estamparse con el monopatín, o a caerse de otro palo de la bandera, o vete a saber.

—¡Gracias! —contestamos todos.

—Pero me ha sorprendido mucho ver la cantidad de faltas de ortografía que habéis cometido —siguió diciendo—. Tenemos que mejorar la ortografía en este colegio, y para conseguirlo, he pensado que vamos a hacer lo siguiente... Si para antes de Navidad habéis escrito una lista de cien mil palabras con dificultad ortográfica, me disfrazaré de pavo e iré botando con un saltador por toda la calle Mayor.

—¡Yupiiii! —gritamos todos.

—¿Y si lo dejamos en mil palabras? —propuso Ryan.

—Cien mil —repitió el director—. Es mi última oferta. La tomáis o la dejáis. Y todas las palabras tienen que estar bien escritas, ¿eh? ¡Que tengáis un buen día!

Yo estaba seguro de que la sabelotodo de Andrea empezaría a hacer su lista de palabras a la hora de comer, solo para demostrar lo listísima que era.

Pero no.

En vez de eso, se quedó sentada, mirando la comida en silencio.

Al final dijo:

—¿Sabéis? He estado pensando… y empiezo a creer que el director está mal.

—¿Mal? —se preocupó Emily, a punto de echarse a llorar.

—No sé, a lo mejor tiene problemas personales.

—¿Qué quieres decir? —preguntó Michael—. ¡Pero si el director es un tío guay! ¿Preferirías tener un director aburrido?

—Mi madre es psicóloga y dice que, a veces, las personas hacen cosas raras por motivos que están en el fondo de su mente —nos explicó Andrea.

—Y eso… ¿qué significa? —le pregunté yo.

—Pues que el director está majareta —saltó Michael.

—Yo no he dicho eso… —replicó Andrea—. Lo único que digo es que,

en realidad, a lo mejor no quería trepar por el palo de la bandera, ni tampoco quiere disfrazarse de pavo... Puede que solo quiera gustarle a todo el mundo, y la única forma de conseguirlo que se le ocurre es... ¡haciendo tonterías! Puede que esté triste, o que se sienta desgraciado. Quizá solo necesite que le den un abrazo o algo así...

—¡Es la historia más triste que he oído en mi vida! —exclamó Emily, y por fin se echó a llorar.

Ryan, Michael y yo nos miramos.

Y luego pusimos los ojos en blanco.

—¡Tú sí que tienes problemas personales, Andrea! —saltó Ryan—. ¡El director mola!

—Aunque a lo mejor sí que está como una cabra... —dije yo—. Y

puede que ni siquiera sea un director… ¿No lo habíais pensado? Quizá se ha escapado de un psiquiátrico y ahora se está haciendo pasar por director, mientras que nuestro verdadero director está en el calabozo del sótano, atado a una silla y esperando a que lo torturen. Mi amigo Billy me contó que…

—No hay ningún calabozo en el sótano —me cortó Andrea—. Eso solo es una leyenda urbana.

—¡Eso es lo que él quiere que creamos! —repliqué yo—. No quiere que sepamos que nuestro verdadero director está prisionero ahí abajo… ¡Seguro que se dedica a torturarlo en las vacaciones!

—¡Bah, tú sí que estás como una cabra! —gimoteó Emily mientras se sorbía los mocos.

—Pues a mí sigue preocupándome este asunto... —dijo Andrea, mordiéndose las uñas.

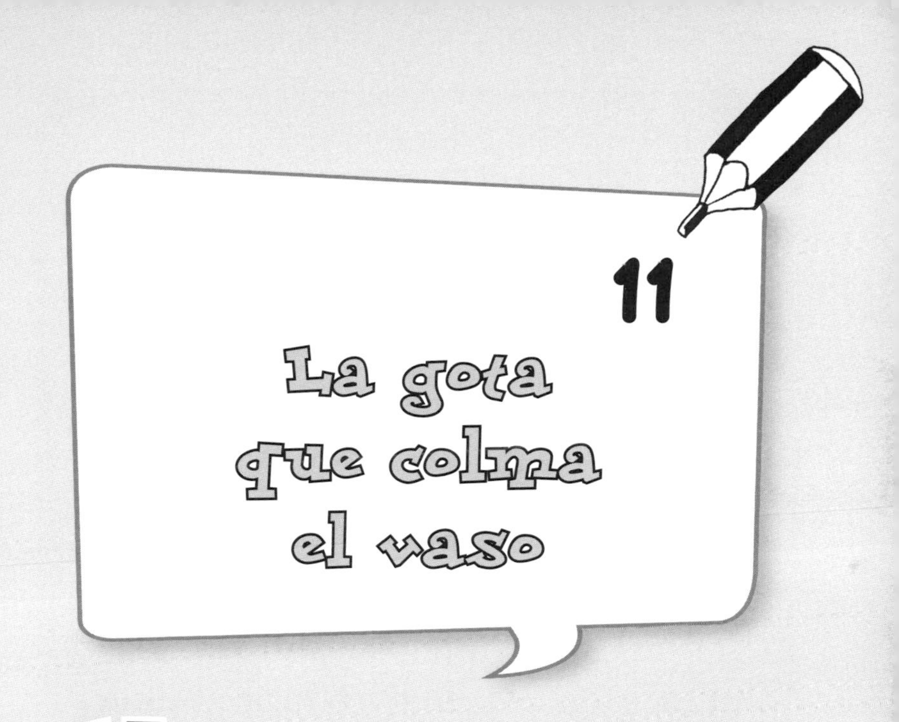

11
La gota que colma el vaso

Ni idea de si Andrea tenía razón o no, pero había que reconocer que el director hacía cosas cada vez más raritas…

Después de que acabáramos la lista de las cien mil palabras, fue dando brincos con un saltador por toda la calle Mayor, disfrazado de pavo.

Luego dijo que se pintaría la cabeza de naranja si sacábamos las mejores puntuaciones de todo el país en comprensión lectora, y cuando lo conseguimos, vino al colegio con toda la calva teñida de naranja fosforito.

Y entonces llegó el día en que se volvió majareta del todo…

La señorita Lulú había salido de clase un momento, y se oyó decir al director por los altavoces:

—Chicos y chicas, ¡están a punto de llegar las vacaciones de Navidad! Si entre todos los alumnos del colegio leéis con vuestros padres un millón de minutos antes de que acaben las clases, ¡haré *puenting* desde el tejado del colegio… vestido de Papá Noel!

Ryan, Emily, Michael, Andrea y yo nos miramos.

—En serio creo que el director está mal de la cabeza —dijo Andrea, muy seria—. Tenemos que hacer algo. Si sigue así, volverá a hacerse daño, o peor aún... Si no lo paramos y pasa algo horrible, ¡será por nuestra culpa!

Por una vez en la vida, yo estaba de acuerdo con la sabelotodo oficial del cole.

—¿Y qué podemos hacer nosotros? —lloriqueó Emily, muerta de preocupación.

—Tenemos que intervenir —dijo Andrea.

—¿Vamos a operarle? —se extrañó Ryan.

—No. En este caso, «intervenir» es cuando te sientas con alguien, le dices que tiene un problema y le obligas a

enfrentarse a él —explicó Andrea—. Mi madre está interviniendo todo el día.

—Pues yo no pienso ser el que le diga al director que tiene un problema —dijo Ryan.

—Ni yo —dijo Michael.

—A.J., tú empezaste todo esto —dijo Andrea.

—¿Quién, yooooo? —dije yo.

—¡Sí, tú! Tú hiciste que se le ocurriera la idea de darnos incentivos para aprender.

—¡Es verdad! —dijeron todos, y me miraron como si yo fuera un asesino en serie o algo así.

—¡Pero si lo único que hice fue atizarle un pelotazo a Anne Porter! —repliqué yo.

—A.J., tienes que decirle al director que, como no se olvide de lo de saltar del tejado, no leeremos ni un minuto con nuestros padres —dijo Andrea—. O mejor todavía... Que si piensa seguir haciendo locuras, no leeremos ni un libro más, ni escribiremos una sola palabra, ni haremos ni medio problema de matemáticas... Resumiendo: ¡No aprenderemos nada de nada!

No podía creerme que Andrea estuviera diciendo eso. ¡Pero si su idea de la diversión era leerse el diccionario durante el recreo! Si de verdad estaba dispuesta a dejar de aprender, debía de creer en serio que el director tenía un problema gordo.

—Pero, si dejamos de aprender, nos volveremos más tontos —gimió Emily.

—Bueno, al menos en el caso de A.J., ¡eso es imposible! —remató Andrea.

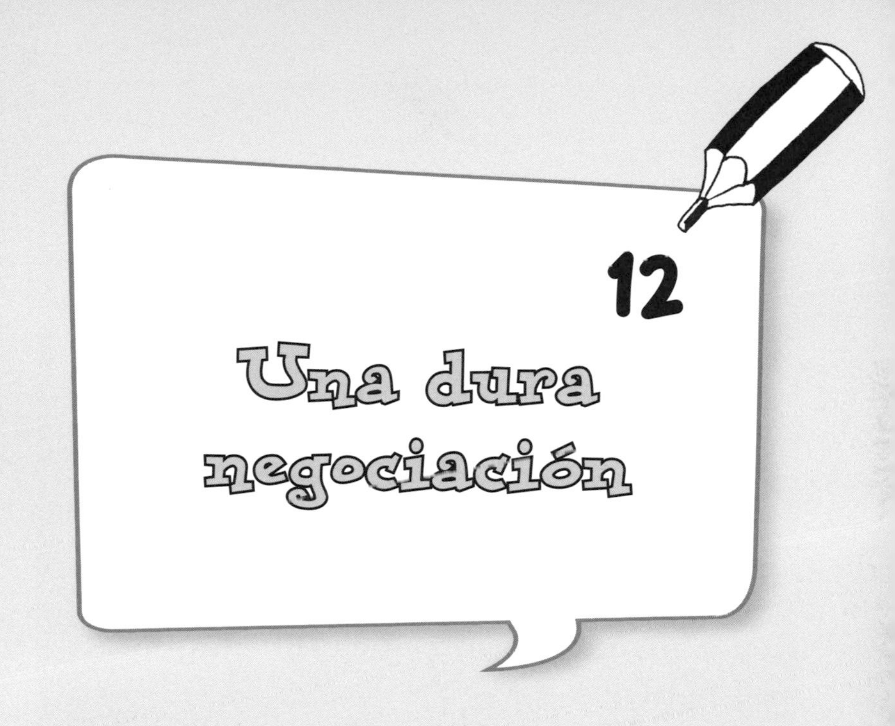

12 Una dura negociación

Esa misma tarde, la señorita Lulú nos dio permiso para ir al despacho del director.

—Tenemos que hablar con él ahora mismo —le dijo Andrea a su secretaria—. Es muy importante.

—Cuestión de vida o muerte —añadió Ryan.

La secretaria nos dejó pasar.

Esta vez, el director no estaba colgando del techo, pero llevaba puestos unos guantes de boxeo y estaba atizándole al saco que tenía en el despacho.

—¿En qué puedo ayudaros? —nos preguntó.

—Vamos, A.J. —dijo Andrea, dándome un empujón para que empezase a hablar.

—Hemos venido a hacer un trato contigo —le dije al director.

—Ah, ¿sí? ¿Qué trato? —preguntó él.

—Hemos decidido que leeremos un millón de minutos con nuestros padres…, pero solo si tú no saltas del tejado.

—¿Cómo que solo si yo no salto del tejado? —se extrañó él—. ¡Pero si yo pensaba saltar como incentivo para

animaros a leer un rato cada noche con vuestros padres!

—Bueno, pues entonces leeremos un rato cada noche con nuestros padres como incentivo para que tú no saltes del tejado.

—Qué raro… —dijo él—. Yo pensaba que eran los directores los que ofrecían incentivos a sus alumnos, y no al revés.

—Es que tus incentivos se han vuelto cada vez más peligrosos, y tenemos miedo de que acabes matándote solo por intentar que aprendamos —le explicó Andrea.

—Eso, porque si la palmas, nos sentiremos culpables —añadí yo.

—A ver si me he enterado bien… —dijo el director—. Yo os dije que saltaría del tejado del colegio si

leíais un millón de minutos con vuestros padres. Pero ahora vosotros decís que solo leeréis un millón de minutos con ellos si no salto... ¿Correcto?

—Correcto —respondimos.

—¿Y si saltara a una piscina hinchable llena de pelotas de goma desde una de las canastas de baloncesto del gimnasio? —preguntó él—. ¿Eso os parecería bien?

—¡Nooooo!

—¿Y si me envolviera en papel de burbujas y saltase a una pila de colchonetas desde lo alto del escenario del salón de actos?

—¡Que noooooo!

—Si quieres que leamos, o escribamos, o hagamos problemas de matemáticas..., nada de saltar —le dijo

Andrea—. Es nuestra última oferta. La tomas o la dejas.

—Sois buenos negociadores —reconoció él—. Vale. No saltaré.

—Muy bien. ¡Que tengas un buen día! —le dijimos todos.

Los de las otras clases se llevaron un buen chasco al enterarse de que el director ya no iba a hacer *puenting*.

Algunos hasta se enfadaron con nosotros por haberle hecho cambiar de idea.

Pero al enterarse también de que todos iríamos a pasar un día entero a «Mundo Choff» si conseguíamos nuestro objetivo, se les pasó el mosqueo.

Porque «Mundo Choff» es el parque acuático de invierno más guay del mundo, ¿sabes?

Ya faltaba poco para las vacaciones de Navidad y aún no habíamos conseguido llegar al millón de minutos de lectura con nuestros padres.

El director dijo por los altavoces:

—Queridos alumnos: Solo quedan tres días para las vacaciones y odio tener que deciros esto, pero si para entonces no conseguís llegar al millón de minutos leídos con vuestros padres, la excursión a «Mundo Choff» tendrá que suspenderse y yo saltaré del tejado. ¡Que tengáis un buen día!

Después de eso, todos nos pusimos a leer sin parar con nuestros padres, hasta los de sexto. Todos queríamos ir a «Mundo Choff», y justo el día antes de que empezaran las vacaciones, llegamos al millón de minutos.

¡La excursión a «Mundo Choff» fue una pasada! Había como cien toboganes gigantes, y comimos *pizza* y helado para aburrir.

También tenían uno de esos chismes hinchables gigantes en los que puedes botar sin parar.

Fue el mejor día de mi vida.

Ryan, Emily, Andrea, Michael y yo fuimos a buscar al director para darle las gracias. Lo encontramos al lado del chisme hinchable.

—¡Ha sido un día genial! —le dije, y después le di un abrazo bien fuer-

te—. Ah, y que sepas que para mí eres el mejor director de la galaxia.

—¡Gracias, A.J.! —me contestó él, bastante emocionado.

—¿Ves como no hace falta que hagas *puenting* ni nada para que aprendamos cosas? —le recordó Andrea.

—Eso parece, aunque estaba pensando... —empezó a decir él, mirando el chisme hinchable—: ¿Y si pusiéramos uno de estos delante del colegio? Podría subirme al tejado y...

—¡Nooooo! —gritamos todos.

—Si la caída sería súper blandita...

—¡Que nooooo!

Entre todos intentaremos quitarle al director esa manía de hacer locuras, y a lo mejor para fin de curso... ¡conseguimos curarlo!

Aunque no va a ser fácil.